蒙學善本

國家圖書館藏·蒙學善本

書言故事大全

第二册

鳳凰出版社

弄璋弄瓦

河東獅吼

書言故事大全卷之二

廬陵　胡繼宗　集

安成　陳玩直　觧

○親戚類

通家　叙舊親曰有通家好音號（漢）李膺敕非名人讀及與通家皆不得白李膺字元禮桓帝時為司隷校尉敕戒約也白告也李膺戒約非有名之人及非有舊親者勿令來見當時朝廷綱紀頹壞膺獨持風致以声名自尚士有被其容接者名為登龍門云孔融十歲故造門造至也至李膺之門曰我是李君通家子弟膺門曰高明祖父與僕有舊恩乎高明膺稱融也僕膺自謙辭也融曰先君孔子與君先人李老君同德比音被義而相師友融與君累音呂世通家累積累也累世世世不已也○此與後窮七卷謁見類登龍門之下通看

瓜葛　言素戚親曰有瓜葛之好音號瓜葛藤長俞親戚綿延（晉）王導共子悅奕棋争道導曰相與有瓜葛那得為爾耶言有瓜葛之親何為於此而争道焉

葭莩音加夫　叙親曰辱在葭莩之末（漢）中山靖王對靖王名勝○景帝子武帝兄也大臣議者務摧抑諸侯王數奏其過惡王来朝上置酒王聞樂而泣上問其故王對曰群臣非有葭莩之親恐遭罪青也群臣非有葭莩之親葭蘆也莩

其白皮至薄者猶王言群臣無薄親恐群臣奏我過惡而得罪是以泣也
肺附 叙至親曰辱在肺附肺附如肝肺之相附唐戴胄音宙所數
納即削藁戴胄為少卿遷。尚書左丞。數陳也。納進也。陳善。納諫之。削。除也。藁副封也。大臣
奏事必立副封胄乃削去止以正本奏之帝曰太宗言胄於我非肺附親
惟忠槩所激音吉耳太宗言胄忠心鯁槩陳善諫諍激昂準奏非與之有至親也
渭陽 常談舅氏曰渭陽渭陽母在不可用秦康公之母晉文
公之妹康公為太子時母卒句送文公于渭之陽
文公名重耳獻公之次子也獻公嬖妾驪姬嘗譖殺太子申生又欲殺群公子重耳遂出奔靡國不
到而至于秦至是康公送之歸晉而至渭水之陽水之陽西北向也念母之不見也

我見舅氏如母存焉
宅相 去声下同稱外甥曰宅相晉魏舒少音紹孤魏舒字陽元幼而無
父曰孤為去声外家甯氏所養甯氏起宅相宅者曰當
出貴甥舒曰當為去声外氏成此宅相後魏舒為司徒
連袂 兩姨夫曰連袂連襟宋范仲淹鄭戩音剪皆自小
官布衣仲淹字希文為叅政鄭戩仕至樞副小官雜職也布衣儒服也古者布衣韋帶選
配李參政昌齡女為連袂連袂見下文○及李晉卿有
二女其子與岳州判官王樂音洛道布衣滕元發相
善其子晉卿之子也於是擧此二人為婿一旦李死付家人語云長

…嘉靖九二人為都督其一曰…
二女長平皋公主樂安…
皆幸…昌儲女…
…宋…
…晉…

卷之二

重言姑書

晉掌女配樂道次者元發得二壻足矣二人遂皆連袂（連袂者如交袵之相連也）次舉元發登科不日相繼翰林遂為兩府世傳李氏女多貴

大橋小橋 今人呼兩姨曰大橋小橋周瑜字公瑾（音慶）為中護軍從（去聲）孫策攻皖（還上声○中護軍官名孫策字伯符吴王孫權之兄也孫策為長沙王皖今安慶府是也）得橋公兩女皆國色（橋公名玄字公祖舉孝廉補洛陽左尉或曰橋公居安慶前山縣萬工山下）策自納大橋瑜納小橋策從（七恭切）容謂瑜曰橋公二女雖流離（流離言其遺亂而被虜也）得吾二人作婿亦足為歡

懿親（懿音意）〈左〉（僖公二十四年）富辰曰兄弟雖有小忿不廢懿親（忿。爭也。懿。美也。當是時周襄王將以狄伐鄭。鄭蓋周宣王庶弟。但公友之所封也。富辰諫之曰昔周厲王無道。致代兄弟之恩缺也。召穆公於是糾合宗族。於成周而宴會。遂作棠棣之詩云云凡今之人莫如兄弟。蓋為外侮之來。必同心協力以禦之。則知兄弟之閒雖不能無小小忿爭而親親之美不可因小忿而廢棄也。）

○子孫類

桂子 稱人子曰桂子〈五代〉（大唐以後有梁唐晋漢周為五代亦曰五季）竇禹鈞（音君）五子儀儼侃偁僖俱及第號五龍（俱及第皆中科舉故號五龍儀為禮部尚書儼為禮部侍郎皆為翰林學士侃為左補闕稱為右諫議大夫參知政

事傳為起居郎馮道贈詩云燕音烟山竇十郎燕山即燕然幽州山中。郎即禹鈞也。教子以義方義方義以方外。言能愛子。教之以方外之義靈椿一株老上古有大椿者。以八千歲為春。八千歲為秋。故曰靈椿。一株一樹也。引之以讚禹鈞也仙桂五枝芳及第謂之登天步月手攀仙桂。蓋以讚五子之俱及第也

象賢 稱人子曰象賢（書）微子之命書篇名。微國名子爵也成王既殺武庚封微子於宋以奉湯祀使錄其誥命以為此篇今文無古文有王若曰王成王也若曰者非書當時之言大意若此也殷王元子元子長子也微子帝乙之長子紂之庶兄也惟稽音基古崇德象賢統承先王稽。考也。崇德謂先聖王之有德者則尊崇而奉祀之也。象賢為其後嗣子孫有象先聖王之賢者。則命之以王祀也。統承先王考古制尊崇成湯之德以微子象賢而奉其祀也

阿戎 稱人子曰阿戎（晉）王戎。王渾子也少燒上声阮籍二十歲籍與為友籍與王戎為友籍每適渾適（詢）訪也去輒音折過視戎良久去。欲辭去也。輒專也。每欲辭即專過看王戎出謂渾曰共卿言。不如共阿戎談籍言子則勝於父也后學龜之下吳崇詩又詳治之

有子萬事足 稱人有子曰有子萬事足（東坡）賀子由生子詩子由東坡弟也無官一身輕無官者得以優悠無所拘束有子萬事足言但有子。而萬事自足。此與後幹蠱之下有子克無忝意同

蘭玉 稱人子姪為蘭玉謝玄為[illegible]門器重去声。謝安東

晉烈宗時為太保。器者有用之成才重者敬愛之。安以玄之賢器而重之安常戒子姪曰子弟亦何豫人事豫者先立志以成身以全人事之當然也正欲使其佳音皆。欲子姪之美好也玄荅曰譬如芝蘭玉樹使其生於庭階耳安悅謝玄鎮廣陵敵人畏之又嘗為前峰都督敗秦苻堅兵

令子 令去聲 稱人子曰令子褚淵仕宋上齊嘗謂任平声昉万上聲父遙曰聞卿有令子令善也相為去声喜之所謂百不為多一不為少燒上声

（唐）鄭餘慶子涵為右補闕唐制官有左右補闕敢言無所諱君有過而能直言極諫無所隱諱憲宗謂餘慶曰涵卿令子而朕直臣也可更音庚相賀更互也憲宗謂餘慶曰朕賀卿有令子卿賀朕得良臣是所謂更相賀者也

不凡 稱人子曰不凡之子（汝南先賢傳）去聲。汝南地名薛勤仕郡為功曹功曹同屬縣考課院陳仲舉年十五仲舉名蕃為去声父齋書請勤勤以仲舉。動靜言辭丰姿之美顧盼而察之審之知其賢矣明日造焉造至也。至而訪之也仲舉父出迓勤迓迎接也勤曰足下有不凡子不凡猶言不尋常也吾來候之不從卿也言議盡日既至一室穢污不治勤怒曰儒子何不掃除以待客至仲舉曰大丈夫當掃除天下安事一室後果靈帝時加大傅錄尚書事封高陽鄉侯

主器 長音掌子曰主器（易）序卦主器莫若長子主器謂主掌宗

廟烹飪之器者莫如承嗣之長子故受之以震所以接之以震卦震為長子也

【國器】稱譽人子曰國器高孝基見房玄齡音零曰僕閱人多矣。未有如此郎者如。似也。言未有似此郎者當為國器其才可為國家之用但恨不見其聳壑杭入声昂霄耳孝基言我今老矣。不得見其他日之升達矣聳壑昂霄謂聳越淵壑。昂出雲霄。後玄齡果相唐太宗號賢相

【克家應門】應平声下同稱人有子曰有克家之子（易）蒙九二蒙卦名山水蒙也九二自下而上第二爻 ䷃ 子克家以家言之五爻父也。二爻子也如人家剛明之子能承繼其父以濟其家事者象曰子克家剛柔接也剛柔接謂九二六五以剛柔之情相通接也（晉）李密陳情表密上表辭官免歸養祖母餘詳見祖父母類侍養祖母之下零丁孤苦單弱困厄貌至于成立又早長能成人自立既無叔伯無叔父伯父終鮮上声兄弟鮮少兄弟門衰祚薄門戶衰微福祚薄少晚有兒息晚年方有子息外無朞功強近之親周年服者曰朞。九月服者曰大功五月服者小功強近强盛而相近可依附言如是服制之親皆無也內無應門五尺之童應當也。內無應當門戶五尺之童子二歲半為一尺煢煢音群孑音結立煢獨立。煢煢然單獨形影相吊吊問也言惟有形影自相吊問

【幹蠱】音古書簡起居父母存者幹蠱之暇（易）蠱初六蠱卦名山風蠱也初六下第一爻也 ䷑ 幹父之蠱朱子曰幹如木之幹枝葉之所附而

立者也蠱者前人已壞之事有子考無咎父死曰考。過曰咎。言有子能幹已壞之事則飾治而振起掩父之口失則父雖死得免於咎悠九二自下而上第二爻幹母之蠱不可貞九二為子爻屬陽則剛貞者母道則柔為子幹母之蠱。以剛性而行柔事則本性不失程子所謂以剛陽之臣輔柔弱之君。使之身正事治故曰不可貞

螟蛉

音名零養人子曰螟蛉詩小宛篇名螟蛉有子螟蛉桑上小青虫也蜾音果羸羅上声負皮上声之蜾蠃土蜂也似蜂而小腰取桑虫負之於空木中教誨爾子七日化為其子式穀似音以之用穀善也得以相似楊子螟蠕蛉同之子殪音意而逢蜾蠃殪始生未有性情殪然如死取之負而去之祝之曰類我類我類欵其相似也久則肖去声之矣肖似也煦虚去声嫗音羊養之以氣溫曰煦以身溫曰嫗變成已子

跨竈

子過於父為跨竈過勝也撞破煙樓與跨竈同意魏王朗雜箴家人有嚴君焉嚴君父也井竈之謂也井竈言水火家以井竈為主民非父母不生猶非水火不生活故以為譬喻焉東坡荅陳季常書曰在定日作松醪賦定州名。言在定州之日作中山松醪賦今寫寄擇等寫松醪賦寄擇等擇季常子也庶開發後生妙思後生指擇等開發使之好尋思以至於道而上達也著張入声鞭一躍當撞破烟樓烟樓竈上煙窗也言子過父猶如跨竈撞破烟樓也吾子邁作文頗有父風咄咄教入声皆跨竈之興去聲。跨竈坡言邁將勝於已也蓋以邁能文以勉擇等也

吴崇賀人生子云寄語王渾防跨竈阿戎清賞秪須史阿戎即王戎乃王渾子也清賞阮籍謂王渾曰王戎清賞非卿倫也言當防其須史勝於汝也吳崇引之言生子他日亦如王戎之勝於父也或云竈上有釜故子過於父為跨竈釜與父音相同借以為言也

弄璋弄瓦

生子曰弄璋生女曰弄瓦（詩）斯干篇名吉夢維何維何猶如何也維熊維羆音畀。羆似熊而長頭高脚猛憨多力能拔樹（釋註）憨音含愚痴也維虺音毀維蛇虺蛇屬細頭大頭色如文綬大者長七八尺大人占之大人大卜之屬占夢之官也維熊維羆男子之祥熊羆陽物在山強剛果毅男子之祥也維虺維蛇女子之祥虺蛇陰物穴處柔弱隱伏女子之祥也乃生男子言既生男子載衣去声下同之裳衣之以裳。服之盛也。示處下之道也載弄之璋玩弄之圭璋尚其德示為臣之職也乃生女子載衣之裼音逓。裼褓也。小兒衣衣之以褓即其用也載弄之瓦瓦。紡磚也。有孔以緒歷其巾玩弄之以紡磚。以習其所事也

錯寫弄麞

賀生子詩詞用錯寫弄麞（唐）姜度生子。李林甫手書慶之曰。聞有弄麞之喜。客視之掩口掩口笑其錯寫麞字（坡詩）甚欲去為湯餅客湯餅事註見下節却愁錯寫弄麞書

湯餅

三朝音招會曰湯餅會（唐）劉禹錫送張盥音管詩爾

生始懸弧 音胡。弧弓也（記射義）男子生懸桑弧蓬矢六以射天地東西南北使男子也
日有志於上下四方也 我作座上賓引筋舉湯餅祝詞天麒
麟 祝頌詞章言張盥乃天上麒麟祥瑞物也

掌珠 賀生子用榮捧掌珠（杜）寄漢中王詩 漢中王名瑀玄宗兄
肅帝子也 掌中探見一珠新

充閭 賀生子云充閭之慶（晉）賈充始生父言後當有
充閭之慶故以為名字焉 古今之顯貴者賓客填門充滿屋閭言他日亦
當如此後果西晉武帝時為司空封魯公

添丁 生子自云添丁（唐）盧仝 音同 生子名添丁欲為國

為去声 持役也 並見下文韓詩之註 韓文公寄盧仝詩 盧仝自號為玉
川子 去歲生兒名添丁 唐制男子二十一歲差丁役言去年生兒可以應丁故名
添丁 意令 平声 與國充耘 音云 耔 音茲。其意但欲令與我國充耘耔田禾之役

深愧無功 賀生子得利市戲言深愧無功（晉）元帝生
子賜百官束帛 束之義已見前婚姻類純帛五兩之下 殷羨謝無功
受賞帝曰此事豈容有功乎南唐 已見前夫婦類續絃之下江南
之註 宮中嘗賜洗兒果 南唐至此通為一句 有近臣謝表云猥
蒙寵數 音朔。猥濫也近臣言蒙寵賜之數也 我深愧無功李王
曰此事卿安得有功

犀錢玉果 賀詞需利物用犀錢玉果（坡詞）犀錢玉果（犀錢犀角黄錢色似之或曰犀角為錢玉果果白似玉一曰以玉為果）利市平分霑四座深愧無功此事如何得到儂（音農。吳人自稱曰儂）

試周 觀周歲兒所取物曰試周（宋朝）（音潮）曹武惠王彬（曹彬字國華真定人）始生周歲日父母羅百玩之具（羅排列也）觀其所取彬左手提干戈右手取俎豆斯須取一印（斯須不久也）後果為樞密使（音事相去声）卒贈濟（上声）陽郡王（死後加封曰贈）配享太祖廟（配對也配太祖而享祭）

塗抹詩書 言人兒幼曰塗抹詩書（盧仝示添丁詩）不知四體正因憊（音敗。言添丁不知我之衰老）泥（去聲）人啼笑聲呀呀（許加切。泥者滞阻不通乃痴也但知啼笑而聲呀呀然）忽来按上翻墨汁（音只。汁水也）塗抹詩書如老鴉（塗音荼。亂曰塗長曰抹）父憐母惜摑不得（摑音國。打也。父母憐惜不忍打之）却生癡笑令（平声）人嗟宿春連曉不成来日高始進一椀茶氣力龍鍾頭欹白（龍鍾潦倒也）憑伏添丁莫惱翁（憑依也依倚也盧仝子名添丁言憑伏汝莫惱於我為翁者）

老蚌生珠（蚌音旁上声）言人父子俱美曰老蚌生珠（後漢）韋元將弟仲將孔融與其父書曰前日元將来謁

金釵佳書 卷之二

言入兒昭曰金釵佳書（畫公示齋）下輯

……（此頁為古籍刻本，文字以篆隸體書寫，難以完全辨識）……

才亮茂淵深有才能信亮茂美雅度弘毅文雅有度量弘寬廣也。毅強忍也濟世之器也濟世者言其有才佐君行仁政恩惠以及天下也昨日仲將來文敏篤誠文華敏速篤學誠實保家之主也篤學誠實者故可保於家也不意雙珠近出老蚌長者濟世。次者保家世之罕有故謂雙珠

藍田生玉 稱譽音余父子曰藍田生玉。諸葛恪少音邵有名孫權見其父瑾音慶曰藍田生玉真不虛也孫權稱其父子寶然之美若藍田之真有玉矣

分甘 晉王羲之牽諸子抱弱孫子能行者牽之孫弱不能行者抱之一味之甘甘甜物也割而分之以娛目前

豚犬 自言兒子豚犬魏曹操見孫權軍伍整肅。歎曰生子當如孫仲謀權字仲謀孫堅之子如劉景升兒子豚犬耳劉表字景升表死子琮舉州降曹操晉王存勗破梁夾寨存勗李克用子。即唐莊宗梁築夾寨攻澤潞泰王初立即攻之夾寨兩重寨內以攻城外禦衆兵至是為存勗破之梁祖驚嘆曰梁祖即朱溫篡唐闕號梁生子當如李亞子亞子存勗小名克用為不亡矣克用立功於唐。懿宗賜姓李不亡言其有如是之子雖死如不死

讀父書 自稱曰知讀父書趙括少音紹學兵法父奢不能難去声。難辨也然不謂善奢雖不能辨論於括。然括横論即不以其為善也

賛拜書

組大

舊曰坐王

卷之二十一

十三

括母問故。奢荅曰：兵死地，而括易（音意）言之（兵至死地，括猶不以為難，而不患也）。趙王以括為將（去声）代廉頗（代。替也。秦攻趙。廉頗領兵堅守長平城。秦兵無柰其何。秦反間謂趙成王曰：秦人獨畏括。不畏廉頗。趙王信之，遂使括代頗）。藺相如曰（藺音零，去声）：括徒能讀其父書傳（去声），不知合變。（合変者，謂交合之際，臨機應変，且不知也）將行（括將往代廉頗），以母上（音賞）書，願王勿遣。即有不稱（去声），妾無罪焉（為將者。敗兵則罪及父母。母言括不可使。倘敗不可加罪於父母。趙括果為秦將白起射死。卒四十萬皆降，盡殺死於長平）。

夢蘭

賀人妾生子，協夢蘭之慶（協，相合也）。（左）（宣公三年）鄭文公有賤妾燕姞（音煙吉○燕姞，南燕姞姓女也。此燕則是召公之後，姬姓），夢天使（音事）與已蘭（蘭，香草也。燕姞夢天使神來賜之蘭也），以是為而子（以此蘭而為汝之子）。以蘭有國香（國香。言其香之可貴。不與常品同也），人服媚之如是（服。佩也。古人以香草為佩。媚，愛也。言使人尊愛汝子。如服媚此蘭也）。既而文公見之（未幾，文公見燕姞而說之），與之蘭而御之（以蘭賜燕姞，使薦寢御）。辭曰：妾不才（燕姞讓言已不才），幸而有子（言已有娠），將不信（恐文公不見信），敢徵蘭乎（欲以所賜蘭而證懷子之月數）。公曰：諾（文公許之）。生穆公（既而生子，即今穆公是也），名之曰蘭（以文公賜蘭符燕姞之夢，故名其子曰蘭）。穆公有疾（至此年而穆公有疾），曰：蘭死（蘭，謂昔者文公所賜燕姞者也），吾其死乎（言此蘭若死，吾必與之俱死也）。刈蘭而卒（於是自刈其蘭而死，子夷立，是為靈公）。

龍孫 稱人孫曰龍孫（後魏）王慧龍。幼慧自幼聰慧其祖愉以爲諸孫之龍以諸孫之聰明若龍之能變化也故以名之故以龍字爲名

瑤環瑜珥 珥音二 敘問人孫用瑤環瑜珥（韓公作馬君墓誌）馬君諱繼祖馬燧之孫（釋註）繼祖爲殿中少監馬燧贈北平郡王見少音紹傳少傳諱陽爲少府監贈太子少傳幼子幼子即繼祖。乃少傳之幼子也娟於緣切好靜音請秀娟好姿態貌靜安也和也。秀榮也瑤環瑜珥瑤。瓊玉之美者。環。玉環（爾雅）肉好若一謂之環瑜玉不掩瑕玉中美心珥珠在耳言馬君若此四者之美玉也蘭茁其芽言既若玉之美又若蘭之茁芽。盖稱其家兒也

孫枝 樂音洛天詩梧桐老去長音掌孫枝言人既老則有子孫亦如梧桐之老而有孫枝

立竹 子孫多如立竹（東坡詩）如今未問老與少音紹兒子森森如立竹森森長木貌言子孫如長木之多也

英物（晉）桓温生未朞朞周一歲也温嶠見之曰此兒有奇骨骨骼奇妙可試使啼試弄使之啼哭則知其声如何又聞其聲曰真英物也袁帝時温爲大司馬錄尚書事

○無後類　新增

緩急非益 多女無男曰緩急非益（漢）太倉令去声淳于

意（淳于意漢世世居官久者以官爲氏。故景帝間有倉氏庫氏之號）無子有五女。有罪當刑罵曰生女不生男。緩急非益（言當受刑之際無男）何以辯究其幼女緹（音躰）縈（力君切）上（音賞）書（緹縈女名也。上其書曰死者不可復生刑者不可復贖）願沒入爲官婢。以贖父罪（沒身入宮掖爲婢）文帝憐之遂除肉刑（肉刑。五刑也。墨劓宮刖殺墨黥也先刻其面。以墨窒之劓截其鼻也宮者丈夫則割其勢。女子閉於宮中。若今宮男女也。刖去足也。殺死刑也。惟宮刑不易以其淫亂人之族類於是文帝以其上書而除肉刑（釋註）室音只塞也劓音二刖音月）

伯道無兒

鄧攸字伯道（守吳郡）後趙石勒過江（石勒武鄉羯人東晉初僭號趙）攸遂逃走收亾弟子棄其己子（攸以牛馬負妻子而逃遇賊奪其牛馬步走擔其兒謂妻曰。吾弟早亡遺有此子。理不可絶。可自棄我兒耳。我後當有子。妻泣而從之）後卒以絶嗣時人哀之語曰天道無知使鄧伯道無兒

○女子類

門楣（音眉）賀生女曰門楣之喜（唐）玄宗册立楊貴妃其從（去声）兄國忠加御史大夫銛（音先）鴻臚（音盧）卿（鴻臚卿濵官也。主奏讀策詠百官表典客應邵曰郊廟行禮讚九賓鴻聲臚傳之（釋註）嘖音責嘖嘖鳥鳴又大呼聲）女兄弟韓國號國秦國三夫人五宅上元夜遊（五宅）（楊國忠楊銛韓夫人號夫人秦夫人）與廣寧公主爭西市門主墜馬

駙馬程昌裔被撾音查。天子女曰公主。壻曰駙馬漢武帝初置駙馬都尉秩比二千石駙副也。非正駕車皆為駙馬魏晉尚公主皆加此官撾打也主泣奏上令去声決殺楊家奴停昌裔官楊氏轉專上声橫去声。以此得志轉加橫逆時謠云謠歌也生女勿悲酸生男勿喜歡。又云男不封侯女作妃男不封侯指昌裔女作妃指楊貴妃君看女却為門楣楣門上橫梁或云門兩旁柱。廣韻又載若面之有眉

焦萃

音樵悴荅婚書自言女曰焦萃（左傳）去声。成公九年楚伐莒。莒恃其僻陋在夷而不脩城郭為楚克其三都莒人言於楚曰楚雖大勿棄我小國故引下文之詩云雖有絲麻絲可為帛麻可為布言雖有精細之物無棄菅音管蒯音快

。莒蒯皆草之可為粗用者雖粗物亦不可棄雖有姬姜姬姜大國之女言雖有大國之女無棄焦萃蕉萃。陋賤之人雖陋賤之人。亦不可棄凡百君子凡百君子在位之人莫不代匱言亦有匱乏之時須得人承代

閨秀

稱人女曰閨秀（晉）張玄妹有才質適顧氏玄每稱以敵王疑之妻謝道韞音永濟上声泥曰王夫人神情散朗故有林下風氣王夫人道韞也顧家婦清新玉映自是閨房之秀顧家婦張玄妹也

詠雪之才

婚啓稱人女有詠雪之才（晉）謝奕之女字道韞聰識有才辯對父安嘗內集內集家宴也俄而下

雪下音選上声○戢頃刻也安曰何所似言雪似何物安兄子朗子奕曰撒塩空中差可擬差昭也。言若撒塩於空中昭然可擬道韞曰未若柳絮因風起未。言不似撒塩止若柳絮隨風起飛於空中

相攸相去声為去声女擇配曰相攸(詩)韓奕篇名韓侯娶妻蹶音貴父音甫之子韓侯所娶之妻乃是蹶父之女也蹶父孔武孔甚也。武有力也。甚有力猶彰大也靡國不到無一國而不到為韓姞勤一切相攸韓姞蹶父之女也。相攸擇可嫁之所也莫如韓樂音洛。言各國皆到。莫如韓國之可樂。其樂也川澤之大魚多也。山林之出走獸之眾也。壽韓士有此之可樂。遂以女嫁之。此與前婚姻類百兩爛盈之下通音

于歸婦人嫁于歸詩桃夭篇名之子于歸之子是子也。此指女子之嫁者而言也。于。往也。婦人謂嫁曰歸宜其室家宜者和合之意室謂夫婦所居。家謂一門之內。皆得其宜而相善也

歸寧女歸問父母安否曰歸寧(詩)葛覃篇名后妃之本也后妃周文王之妃也歸安父母父母。叶為甫其下同化天下以婦道后妃歸問父母安否使天下之婦女感興起而效之也薄澣音浣我衣薄猶少也澣則浣之而已害音曷澣害否歸寧父母害何也。言何者汚而當澣洗。何者清而可以未澣乎。將服之以婦寧于父母也(左傳)杞伯姬來歸寧也杞伯姬魯女為杞夫人

○婦人類

【尤物】謂美婦人為尤物（左傳）昭公二十八年晉叔向欲娶申公巫臣氏，巫臣聘夏姬生女而美，叔向欲娶之。其母曰：汝何以為哉。其母，叔向母也。謂叔向曰：汝何用此女哉，吾聞甚美必有甚惡，夏姬已殺三夫，其其女雖美種類不好。夫音扶有尤物夫有尤異之物足以移人足以動移人心苟非德義苟不以德義自制其心則必禍及則必為異日禍亂之階，叔向懼不敢娶，平公強使娶之，生伯石。○伯石即後儒類狼子野心。

【牝雞之晨】牝音品謂妻奪夫權為牝雞之晨（書）牧誓篇武王曰：古人有言曰：牝雞無晨。牝，雌也。言雌雞無能報曉。牝雞之

晨，惟家之索。喪入声。○索，蕭索也。牝雞而晨則陰陽反常，是為妖孽，而家索盡矣。將言紂惟婦言是用，故先發此。今商王受惟婦言是用。商王受即紂也。婦，妲己也。言是妲己所言，紂以為是而聽之，用其說，卒至淫雷，武王誅之。○嗚呼，以此觀之，上自天子，下及庶人，皆當謹之於此。

【河東獅子吼】侯上聲喻人妻嚴悍喻譬喻也。悍，酷猛也。譬喻人妻之嚴悍。如獅子吼聲之大也。東坡謫居黃岡東坡姓蘇名軾，宋神宗時，李定言軾怨謗君父，舒亶言軾議時事。國家不當發錢恤貧民，興水利，謹鹽禁等事。軾於是謫居黃岡。與陳季常遊遊交遊朋友也。為季常自以飽參禪學以其深知佛氏禪機。其妻柳悍其妻姓柳，情性悍利。客至或闘詬音候罵聲詬怒罵也。坡詩

戲之曰誰似龍丘居士賢（季常自號龍丘居士）談空說有夜不眠（佛氏之言虛空無所見季常常談之以為有）忽聞河東獅子吼（河東柳氏郡望亦是暗引杜詩河東女兒身姓柳為戲耳。言季常忽聞其妻之歌聲若河東獅子吼聲之大）拄（音主）杖落手心茫然（季常宴客有妓柳以杖繫照壁大呼客遂散去）

【長舌】謂婦人多言者曰長舌 詩（瞻卬篇）婦人有長舌（長舌能多言者也）維厲之階（叶音基。厲禍乱也階梯也盖以其多言為禍乱之梯者也）亂匪降自天（叶音河。若是則亂豈真自天降）生自婦人（禍之生時由此婦而已盖其言雖多而非有教誨之益者豈可近哉。今之義門鄭氏家訓云毋聽婦言所以世世不分）

【生菩薩九子母鳩盤荼】言人妻有三可畏 唐語林裴炎常言人妻有三可畏年少（音紹）之時視之如生菩薩（言其貌之美也）安有人不畏生菩薩耶（此一畏也）及兒女滿前視之如九子母（九子母鬼生子最多）安有人不畏九子魔母耶（此二畏也）至五十六十薄施粧粉或青或黑視之如鳩盤荼（鳩盤荼魔女名言其醜也）安有人不畏鳩盤荼耶（此三畏也。標題云生菩薩。九子母。鳩盤荼。三者皆浮屠釋氏家立名鳩盤荼鬼名也比喻人妻有三時之変異也）

○寵妾類

如夫人 稱人寵妾如夫人（左）僖公十七年齊侯好音號內齊侯桓公也好女色也多內寵內多寵愛之妾內嬖音閉如夫人者六人嬖賤而獲幸者。妾媵之得寵嬖如夫人礼遇者六人長衛姬少衛姬。鄭姬。葛姬。密姬。宋華子皆有子、桓公薨諸子爭立無殯斂者六十七日尸虫出戶（註）華音化

語剌剌不休 剌音蠟朱子音七將客外與妻妾別曰語剌剌不休（韓）令人持被直三者生上声○直學士持青綾被直宿省中待訪問三省中書省尚書省門下省顧婢子語剌剌不能休顧回視也

金縷衣 縷音呂杜秋娘李錡妾為去声李錡宜上声歌曰勸君莫惜金縷衣穿破是君衣得以受用慎莫惜之勸君須惜少音紹年時惜猶愛也。言年少必須可愛不可虛度花開堪折直須折此句與陶淵明雜詩得歡當作樂大意相似莫待無花空折枝此句與沈休文長行歌。少壯不努力老大徒傷悲。大意相似

金釵十二行 音杭白樂音洛天酧牛思黯詩牛思黯名僧孺相唐文宗鍾乳三千兩鍾乳至貴之藥。出韶州食之生胃通腸胃補虛泄鍾乳之多言其富也金釵十二行言思黯寵人之多也

燕子樓盼盼（唐）元和中憲宗改年元和張建封鎮武寧武寧鎮名治徐州盼盼者徐之奇色建封納之於燕子樓後又為去声起新樓焉或曰新樓亦名燕子樓建封薨呼肱切○盼薨死也

盼誓不他適誓不更嫁他人居是樓十餘年

○妓女類僕隸附○古未有妓漢武始置營妓以待軍士之無妻者

無廉恥（青箱記）南史王准之自曾祖彪之四世御史中丞練悉朝儀語江龍舊事緘之青箱世號青箱記

（左傳）昭公三十三年所載稱三叛人三叛庶其牟夷黑肱以土地出三人竊邑以出○庶其邾大夫襄公二十一年竊邾漆閭在二邑來奔魯○牟夷襄公五年盜莒防茲邑來奔魯○黑肱邾大夫昭公三十一年盜邾監邑來奔魯求食而已不過為求食計耳賤而書名三人非卿春秋書其名此欲蓋而名章也以其無廉恥之至也

（教坊記）崔令欽著蘇五奴妻善歌舞亦姿色有邀迓者邀請其妻五奴輒音折隨之前輒專也人欲其速醉多勸之酒欲五奴沉醉以通其妻五奴曰但多與我錢雖喫鎚音推子亦醉不煩酒鎚餅也

一點紅（壬齋詩話）青州推官劉鄂音夫好音号謔香入声○謔戲也嘗念詩甞曾也座上若有一點紅一點紅○妓女也歌舞於前斗筲之器成千鍾斗筲言鄙細也情意歡樂飲之多也座上若無油木梳油木梳亦指妓女也烹龍庖鳳都成虛言若無妓女歌舞雖有龍鳳之盛饌亦成虛矣

紅裙（韓愈詩）長安眾富兒唐立都於長安今陝西是也愈言都眾富室之兒盤饌羅羶葷盤中殺饌羅列羶羊葷腥不解鞋上声文字飲不能為講

論文字之飲惟能醉紅裙獨能酣飲紅裙女色而已

錢樹子【明皇雜録】許子和吉州永新倡家女入宮因名永新許子和本永新女入宮祿山作亂子和落民間為士人妻。士人死流落為娼。故有錢樹之說蓋為娼宿客得錢如樹之能着錢也編集者率畧可笑吾不知宮人而錢樹何哉能變新聲歌唱之聲變而清新臨卒謂其母曰阿母阿呼母之語辭也錢樹子倒矣

長須僕曰長須【韓愈寄盧仝音同詩】玉川先生洛城裏盧仝自號玉川子。愈稱之為先生在洛城裏居破屋數間而已矣但有數間破陋茅屋而已。言其貧也一奴長須不裹頭有一奴僕須髯脩長不裹巾帽一婢赤腳老無齒有一侍婢不穿鞋赤腳年老口無齒

秦綱僕曰秦綱【紀綱】【左】僖公二十四年晉侯迎夫人嬴氏以歸晉侯。文公也。嬴氏秦穆公女也。秦本姓嬴。文公獻公之子出奔于秦穆公以女妻之。至是獻公卒。文公迎夫人歸晉秦伯送衛於晉三千人秦伯秦穆公也。送衛相送護持穆公以文公新有呂郤之難。故以其衛之。蓋呂郤欲殺文公故秦伯以三千人送之實紀綱之僕諸門戶僕隸之事皆秦卒供之為之紀綱

銀鹿伻音崩來曰銀鹿鼎来伻使人也鼎来其來若鼎之重謝【唐】顏真卿家僮名銀鹿僮奴僕也

星使音事下同過呼价使曰星使【漢】李郃音台知星知曉星象之術

夜見二使星入蜀分（去声）野果有二客入驛部閬從

京師来乎（京大也。師衆也。帝都之所曰京師）曰然（使臣答是從京師来）曾聞

遣使入蜀乎（郃設言不與言聞遣使見星）二客相視大驚

便了 僕曰便了（蜀）（四川）王子淵從成都楊惠買夫（子淵名褒）（漢宣帝時人。成都在四川。楊惠寡婦也。夫僕也）時戶下有一髯奴名便了（楊惠家一奴長須髯便了幹事方便了當也）決賣五萬千（萬五千不言其量不可考）與立券（音勸）約（券約如今顧帖）從百役使（役事也言百事隨人使之即能為也）

將命者 回簡云以復將命者（語）（陽貨篇）孺悲欲見孔子（孺悲魯人哀公使之學喪禮於孔子）孔子辭以疾（朱子曰當是時必有以得罪者故辭之以疾。輔氏曰。然其所以得罪之故不可知矣辭之以疾。義不當見也）將命者出戶（將命將孺悲之命也孔子辭以疾不見將命者乃出）取瑟而歌（又使知其非疾以警教之也然聖人愛人之心終無已也）

一介行李 遣价曰走一介行李（左）（襄公八年）亦不使一介行李告于寡君（一介。一人也。行李。人遠行必有行囊也。楚伐鄭鄭大夫子駟欲從楚子展欲待晉兵来救於是使伯駢告于晉君曰楚既伐鄭何不遣一人告于我。而即欲從楚寡君將帥列國諸侯以救之今君度之從楚乎待我救乎）〇君若舍（捨同）鄭以為東道主（僖公三十年晉侯秦伯圍鄭鄭伯使燭之武見秦伯曰鄭既亡為晉所得君若舍鄭則鄭為君之東道主蓋鄭居道路東邊故曰東道）行李之往来共（音恭）其困乏

行人往来盤費短少。鄭人使道則當供給伐鄭何為秦伯喜而還○行理之命使人通聘問者無月不至言其往来之勤客（李濟翁資假録云）古文使字作山八子行李是行𡶶音使誤作李學林又非之（左傳）去聲文其言通用作李理字

洧人謝問候曰申詞興去声洧人申。致意也。詞。知處告言也。致意謝人能知我而告言問候於我而使洧潔之人来也（中洧）其言在中主洧潔通引之事。蓋親近在左右故謂之中洧也（陳勝傳）去声故洧人將軍（注）洧人如謁者主洧潔之人

○稱呼類

先生稱年長音掌曰先生（韋昭辨名）韋昭吳人辨別稱呼之名古者稱師曰先生

君卿同輩相呼曰君曰卿庚敳五來切又音厓。敳字子嵩謂王衍衍字夷甫晉人曰庚敳至曰字卿自君我卿稱王衍也言卿自以君稱於我我自卿卿上卿字稱净也下卿字指王衍也言我自以卿稱於卿

（執事足下閣下座前）已上四者皆称呼之辭（因話録）唐趙玲著古者三公称閣大師大傅大保為三公而郡守比古諸侯亦稱閤故有閣下之稱前輩與大官書多呼執事與足下執事足下古者不敢直言以書與其人故托言以告其御者如天子則稱陛下宰相則稱閣下是也

劉子玄與宰相（去声）書曰足下韓退之與張僕射（音夜）書曰執事（僕射漢官儀僕射秦官漢主也曰秦郎重武事每官必有主射以督課之）其例也惟執事則指左右之人尊卑皆可通用又自卑達尊例云座前尤非也（言卑幼者以書與尊者若云定例称座前尤非也且有下文等級）閣下降殿下一等（閣居下殿居上）座前降几前一等（座居下几居上）豈可僭用哉

○謙稱類

【鯫生】（鯫音愁上声）鯫生（小人也）漢沛公曰（高祖言）鯫生說（音稅）我距關毋（音無）納諸侯（說以言諭人使從己也。距閉也毋禁止辭言小人說我閉關勿容諸侯入也）

【陳人】莊（寓言篇）人而無人道（不能盡其為人之道）是謂之陳人（陳腐爛無用之人老無道義曰陳人）

【賤子】漢樓護傳（去声）王邑稱賤子上壽（王邑上壽自称賤子上壽若召穆公美宣王天子万年天子萬壽是也）杜詩（贈韋左丞）大人試靜聽（大人嚴莊之稱故親而老者皆稱焉靜聽定其心意而垂聽）賤子請具陳（卑賤小子請具列而陳情）

【吾儕】（音柴類也）左宣公十一年楚入陳（陳國夏徵舒弒陳靈公楚兵入陳殺徵舒徵舒時為大夫悪靈公通其母夏姬故伏而射殺靈公）因縣陳（因即以陳為縣）申

叔時曰楚大夫設譬喻以勸楚莊王勿滅陳後第十二卷走獸類牽牛蹊田即其譬喻云耳

吾儕小人所謂取諸其懷而與之也吾儕小人。申叔時自讓。動言我輩無高見遠識。取諸其懷而與之。申叔時言於莊王曰，夏徵舒弒其君，殺之可也，誠陳爲縣則不可。夫弒君夏徵舒之罪。以陳爲縣，楚之過也，以此感動吾君之懷。是爲取諸其懷而與之也乃

復封陳於是復封陳國靈公子立是爲成公

樸樕僕遫

樸。音坡。樕古速字短小貌。遫古速字（韻注）樸樕小木也（漢）息

夫躬上言歷詆音底大臣歷詆逐一詆毀曰諸曹以下僕遫

不足數數上聲。諸曹六部是也。言諸曹大臣以下皆小官若小木之多不足數也

録録琭琭鹿鹿陸陸

録音祿。又音六。琭音祿。此四件義同（史記）毛遂與

十九人曰公等碌碌。所謂因人成事者也秦攻趙趙平原君選門下文武備具者二十人往楚求救止得十九人毛遂自借以備數。十九人皆笑。至楚十九人皆不敢言。獨毛遂謂楚王曰。定約不過一言可決皆當歃血以定從約。又謂十九人曰公等碌碌因人事成

老子曰琭琭如玉標題云琭琭隨從貌珞珞音洛如石言

玉之混石不可一二數數上聲蕭曹贊曰蕭何曹參

起秦刀筆吏刀筆吏秦時尚未有紙以竹簡寫字下筆有誤則。以刀削去之故吏以刀筆自隨

録録未有奇節言其以刀筆自隨述録未有奇妙節文（注）録録

猶鹿鹿猶相似也言在凡庶中也（馬援傳）去聲今更共陸

陸此一件莫知其故不敢強解大槩論之四者皆庸常耳

部婁培塿（部音剖婁音樓上聲培塿音並同上）自謂卑小（左傳）（去聲）鄭大叔曰部婁無松栢（部婁小阜喻小國異大國）韻作培塿（字雖不同而意一同）

幺麼（幺音腰麼音磨去聲）微小曰幺麼（班彪）論（彪必幽切）又況幺麼而歆闇（暗同）奸天位者虖（音乎〇隗囂反。班彪作王命論譏之。闇，幽闇也。天位天子位也。班彪言微小居幽暗之中而欲為天子。爭囂不聽。歸于公孫述，光武征之，囂奔西域，病餓死）

○人品類

東道主 常稱主人曰東道主（左）僖公三十年燭之武見秦伯曰君若舍（捨同）鄭以為東道主行李之往來共（供同）其困乏（詳見前妓類一介行李之下）

江南客 常言坐上有江南客（鄭谷詩）（鄭谷守愚唐時袁州人）坐中亦有江南客莫向春風唱鷓鴣（交州志鷓鴣聲懷南不思北。南人聞之則思家。詞有鷓鴣天亦爾）

紅女（紅與功同）織紝（音壬）曰紅女（漢景帝紀）錦繡纂組也。（纂集。又曰組類。組綬也。纂綬屬小者，以為冕纓（禮疏）薄闕為纂）害紅女者也（言錦繡纂組天下功女為之貲財得以養活其身家在上者又自為之錦繡纂組使天下之功女縱能為之無處可賣故曰害功女者也言在上者不可侵奪民間之利）（董策）（董仲舒前漢武帝時舉賢良方正於

是而咎策也奪園夫紅女之利園夫耕鋤蔬茹之人也紅以蔬貨財得以自養在工者不可自治治圃而奪其利紅女詳見上文

庖丁 廚吏曰庖丁（莊）養生主篇名庖丁為去声文惠君解牛庖丁即今呼廚子是也解。分解其戶也曰臣之刀十九年所解數千牛而刀刃若新發於硎音刑。硎磨刀新發於硎言新發也恢恢乎其於遊刃必有餘地矣恢恢大也。遊刃猶言使刀。餘地。餘剩空地也。言使刀必得空處而好揮揚其刀也

梓人都料工師 匠人之長（周禮考工記）漢武時周禮始出闕冬官以考工記補之梓人為筍簴渠上声為飲器。梓師罪之筍簴樂器所懸橫曰筍直曰簴梓師梓人之長。罪。責也。責其為飲器平爵向口飲不盡故梓師責梓人也（柳文梓

人傳）专声。柳宗元字子厚唐人以文名世。故曰柳文梓人善度音托材審度度材。木也。審木之曲直勢者今謂之都料匠都總也。料度量也總度木之大小長短隨宜而用之孟子梁惠王下章為巨室。則必使工師求大木巨室。大宮也。此孟子見齊宣王曰為巨室則必使工師求大木作以成巨室有國者則當求賢人任用之以治其國也

執斵 音作木匠曰執斵（左）楚侵魯孟孫請往賂音路之孟孫魯大夫請命於魯君往賂於楚以止其侵人以執斵執針織紝音壬皆百人為質音至。斵斫也。雕也。木匠執雕刻之器也。鈂針挑繡之人也。織紝為組紃之人也。組紃皆

條也薄閣為組似繩為紃以此等百人納質於楚以致其信以止其侵

眾史　畫工曰史（莊）田子方（子方魏賢人莊子以之名篇）宋元君將畫圖眾史皆至舐（音始）筆和墨（舐筆以口舌濡筆也）一史後至因之舍公使人視之（公宋元君也）則解衣盤礴（傍入声）臝（盤礴箕踞狀伸兩足也臝即裸也解衣露身歆其神閑意足）君曰是真畫者也

伶人伶官（伶音零）樂人曰伶人（黃帝之世伶倫造音樂故稱伶人伶官）（左）（成公九年）晉侯問楚囚鍾儀之族（晉侯遊觀於晉軍藏之府見鍾儀問守軍府者曰被拘縶者誰也守者對曰鄭人所獻楚囚也晉侯因問其氏族（釋註）縶音執）對曰（鍾儀吾）伶人也（伶人樂人也）使與之琴（晉侯使人與鍾儀以琴）操（平声去声皆可）南音（鍾儀得琴彈作楚声）（詩）衛之賢者仕於伶官（考之於經且無所載不可強解）

鼂氏　鑄鍾匠曰鼂氏（周禮考工記）鼂氏為鍾（鼂氏作鍾薄厚之震動清濁之所由出鍾大而短其聲疾而短聞小而長則其声舒而遠聞）

長年三老（長音掌）梢人曰長年三老（蔡夢弼曰峽中以舟師為長年梢工為三老（陸放翁入峽記）長年三老謂梢工也）（杜詩）（撥悶）長年三老遙憐汝（遥憐汝者羨舟師善於使舡言其捩柂開頭快捷若有神助（釋註）捩音列）

白丁白徒（鄱陽傳）毆（去声驅同）白徒之家（毆折也）（師古曰）白徒言素非軍旅之人言若白丁矣

前茅 通武官書申候前茅（左）宣公十二年楚蒍音委敖為宰蒍敖蒍賈之子孫叔敖也時為令尹軍行右轅當軍行之時在車之右者挾轅以為戰備左追蓐蓐卧草上也在車之左者使之追求草蓐以為宿備前茅慮無前茅楚旗制也。在前者持之以慮有無之事。恐其卒有變故得預告軍中而為之備也。○標題云凡行軍則前先斥候望彼敵人見其騎賊則舉紅絳幡我則以騎兵乘之望見彼步賊則舉白幡我則以步兵乘之使不至於挫衄也慮無者觀望思慮前之有無敵兵也（釋主）衄女菊切

麻胡 俗呼軍卒為麻胡（後趙）石勒將去声麻秋往虓音肴又許交切憸虓險麻秋之性若虎之怒太原胡人也太原郡名有兒啼母輒音折恐之曰麻胡来啼聲絕小兒聞麻胡来不敢作声至今為故事迨今但有兒啼有人言曰軍来捉其声即止

間諜細作 諜音蝶○間偏小路也。諜探間消息也（左）晉人獲秦諜殺諸絳市諸助語辭絳晉都也秦人獲秦國間消息之人而殺之於絳市也六日而蘇六日之間蘇蘇恐懼貌○或曰蘇者息也六日之後其勢始息今謂之細作細作與間諜同意

○古今喻類

楚弓楚得（家語）好生篇楚王出遊亡烏嘷音毫之弓楚恭王出遊而失其弓烏嘷良弓之名左右請求之左右人。請懷求之王曰已之楚王失弓楚人得之又何求之楚王失其弓而楚人得之又何

必求廣也

孔子聞之曰惜乎其不大也（夫子聞楚王之言但可惜其度量不廣也）不曰人遺弓人得之而已何必楚也（但言人失弓人得之足矣又何用言楚也）

【秦無人】人不可欺曰無謂秦無人（左文公十三年）晋士會在秦（晋人患士會輔秦强盛有害於晋）晋人謀歸之（計謀欲其歸晋於是使魏國壽餘詐以魏邑獻秦秦伯受其邑壽餘履士會之足於朝，欲使歸晋。秦伯師師于河西將取魏地魏人在河東詐為降秦之勢，壽餘謂秦伯曰請能言者吾與之先往魏中謀以歸秦秦伯使士會）及行（士會將行）繞朝（音潮）贈之以策（繞朝秦大夫也。知士會歸晋故以鞭策贈之）曰子無謂秦無人（言汝莫謂秦國無人才而不知汝之謀也）吾謀適不

用也（言我已告之於君君不信吾言耳若信吾言汝豈能歸晋歟士會既度河魏人譟而還喜得士會也）

【借秦為諭】借人比說曰借秦為諭賈山漢文時言治亂之道（賈山言治亂之道乃漢文帝之時）借秦為諭（諭曉示也。漢文帝以仁德治天下借秦暴虐曉諭天下。使天下之人懷其風乎）名曰至言（名為至善之言）

【又生一秦】自增仇敵曰又生一秦【張耳傳】（去声）陳王欲族武臣等家（陳王名勝字涉起兵之際張耳来謁勝大喜自立為王族滅也勝使武臣狗趙地武臣自立為趙王故勝欲族滅之也）相（去声）國房君曰秦未亡（言勝欲滅秦秦尤未亡）又誅武臣等家此又生一秦也（若誅武臣等則

人不直之仇敵必衆此言秦尤未滅又歆臧武臣等家則武臣又爲一秦矣

【魯人之皋】謝遲緩丨人之皋（左）哀公二十一年及齊侯盟于顧顧齊地齊人責稽首十一年齊侯稽首於哀公而哀公不見荅因歌曰魯歌也魯人之皋皋緩也言魯人之皋緩數年不覺數年不知荅齊而稽首使我高蹈高蹈由遠行也使我遠行來爲此會

【邯鄲之步】邯音寒鄲音丹學無成曰。未得邯鄲之步【班氏叙傳】去聲。班氏名昭字惠姬班彪之女班固之妹曹世叔之妻也班固著漢書未竟死獄和帝詔昭就東觀踵而成之昔有學步於邯鄲者邯鄲趙邑曾音層未得其彷彿學步未能略似又復失其故步舊日所行之步反遺忘矣遂匍匐音蒲白而歸耳匍匐手至地若獸之行【莊】秋水篇名壽陵餘子學行於邯鄲未得國能國能邯鄲所行之步又失其故步矣

【得隴望蜀】兼并無厭音烟得隴望蜀【晉志】司馬懿音意言於曹操曰今克漢中益州震動漢中劉備立都益州以興漢懿破之故曰克漢中進兵臨之勢必瓦解音蟹。益州既破劉備又立都於蜀懿言若再進兵攻於蜀其勢若瓦之碎不可完也操曰人若無足既得隴復望蜀隴益州也言其既得益州又欲得蜀是心無足也

【助桀爲虐】相黨爲惡曰助桀爲虐張良曰。秦爲無道故沛公得至咸陽漢高祖沛縣人故號沛公咸陽秦都也今即安其

所樂音洛○天下之民遭秦之害久矣言既得入咸陽破秦何不務救民而安爲樂耳是助桀爲虐也桀本虐民之君而又助之今安所樂亦猶是也

【唐突西施】觸犯好人曰唐突西施（晉）周顗宜上声字伯仁少音紹有重去聲名庾亮嘗謂曰諸君咸以君方樂廣咸皆也方比也言諸人皆以顗君比樂廣如樂廣之賢者也顗曰何乃刻畫無鹽唐突西施刻畫雕琢也無鹽齊之醜婦。西施越之美女周顗自讓言若以我比樂廣即如雕刻無鹽對西施也

【失卻張君房】失所資助也人曰失卻張君房【湘山野錄】吳僧劉瑩著祥符中宋真宗年號命詞臣撰日本國祥光記

詞臣掌詞翰之官。撰作也日本國在海東當直者學不優常以張君房代之當直當直日作文也。當是日者學淺不能文故每以張君房代之既傳宣甚急張醉飲樊樓紫微大窘紫微唐玄宗以中書省爲紫微者時中書舍人掌詞翰故曰紫微是時君房醉而不能代作紫微郎所以大遭窘急也後錢希白名易楊大年謚文公二公作閑忙令去声大年曰世上何人號最閑司諫拂衣歸華山華與花同司諫在天子左右謂之補闕又謂之拾遺掌諫王惡之官也歸華山棄官隱遁以投閑也○紫微司諫二者之名不可考也錢曰世上何人號最忙紫微失卻張君房

【一夔足矣】夔音葵（後漢）章帝命曹褒定禮定禮作樂也曰昔

尭作大章（此章帝言於書褒也尭樂謂之大章者言尭德章明于天下也）一夔足矣（夔典樂之官也章帝言尭作樂一人足矣今以褒一人定禮則亦足矣○此與後第十二卷事物譬類作舍道旁之下通看）

二郎必做三槐王氏 **邵氏聞見録**

王晋公祜（王祜字景叔）太祖朝（音潮）為知制誥使（音事下同）魏州（知制誥官名使奉主上命令有事于他國也）帝曰使還與卿王溥（音普）官職時溥為相（去声）及還（讀）帝怒（符彥卿鎮魏州或讚之大祖遣祐察焉祐不狥上意歸奏彥卿不反請以百口保之故帝怒）安置華州七年不召（謫官不治事曰安置）初赴貶時親朋送祐曰意卿作王溥官職矣祐笑曰某不

做（某祐自稱也言我既不為相）兒子二郎必做二郎文正公旦也祐手植三槐于庭（植栽也）曰吾子孫必為三公者（大師大傅大保為三公）後果然（王旦果為相諡文正公）天下謂三槐王氏

五日京兆

譏去任（去声）者五日京兆 漢宣帝誅楊惲（音永○惲為前發光祿卿廉潔無私人上書告惲為妖惡言免為庶人人又上書告惲驕奢不悔過於是腰斬）公卿奏京兆尹張敞惲之黨友（陝西府尹曰京兆尹○公卿大臣奏敞與惲結為黨友同為妖惡）上寢其奏（寢上惜敞有才能故寢所奏不下）敞使掾（音悅）絮舜有所按驗（掾辦事吏也敞使絮舜復其按驗）舜私歸

家曰五日京兆矣（言五日之後當免其官）

三日僕射（音夜。僕射詳見前稱呼顗執事之下）晉周顗（宜上声）有雅望（雅望素有好名望）後頗以酒失。為僕射畧無醒日人號為三日僕射

孔席不暖墨突不黔（音慶）駐不久者孔席不暖墨突不黔 淮南子云（淮南王宴集賓客作此書）孔子無黔突（黔黑也。突烟窓出烟之處也。言志在明道不暇安居烟窓未黑而去也）墨子無暖席（墨子名翟戰國人。言其坐席未暖而去）班固答賓戲云 孔席不暖（孔子周流四方凡到一國駐不久也）墨突不黔（班固欲賓客之從容久駐勿似孔墨之駐不久而去也）

召公甘棠（召音紹）人思遺愛召公甘棠 詩 甘棠（篇名）美召伯也蔽芾（音廢）甘棠（蔽芾盛貌。甘棠杜梨也白者為棠赤者為杜）勿剪勿伐（剪剪其枝葉也伐伐其條幹也）召伯所茇（去入声。伯方伯也茇草舍也。召伯循行南國。以布文王之政或舍甘棠之下。舍猶止也暫止就借甘棠為舍後人思其德以故愛其樹而不忍傷也。舊註召公循行南國而撫恤其民経過曠野之地而無屋故居甘棠之下以宣布文王之化。今人多言縣前有甘棠木則誤矣）左 襄公十四年晉士鞅（音養）言欒氏之亡（士鞅奔秦秦伯問士鞅曰晉大夫其誰先亡對曰欒氏蓋欒黶暴虐之甚）黶（音黑）猶可免（黶武子之子武子有恩於民故民感其父之恩而不忍害其子故其子猶免禍也）其在盈乎（盈黶之子盈雖善而禍在盈之身以其父之惡禍及其子也）武子之

呂公藤

呂公藤

德在民如周人之思召公焉武子有恩於民民思之亦如周人之思召公焉愛其甘棠況其子乎召公以甘棠為舍而宣政於其下人尚愛之何況武子之子而人焉得不愛焉○父為善福及於子父為惡禍及於子也

招賢自隗始隗音梔上声引類得人招賢自隗始（戰國策）

燕音烟昭王卑身厚幣以招賢者卑小也讓卑其身幣绡帛也○先是燕易王以國讓其相子之齊伐燕醢子之殺易王燕人立昭王易王子也昭王既立謂郭隗曰誠得賢士以共國以雪先王之恥隗曰王欲至士先從隗始隗言昭王欲至賢士且先尊敬於我況賢於隗者豈遠千里哉隗言若能以我為質而尊寵之。則賢士不以千里為遠而能來也於是昭王為去声隗改築宮而

師事之築臺造宮室以師禮事之士爭趨燕賢士聞之皆聚於燕樂毅自魏往劇音乞辛自趙往樂毅為燕將十年之間下齊七十餘城

雍齒且侯雍音用消須音未須滅也○德望雍齒且侯（張良傳）

去声漢高帝居洛陽南宮望見諸將去声往往坐沙中相與語上問此何語良曰此屬畏陛下不能盡封此屬此等衆將也。以陛下不能盡封其官爵以故畏之又恐見疑過失。及誅誅責也。滅也。又恐陛下疑其有过而并誅之故相聚謀反耳聚集計謀欲作亂也上曰柰何良曰上平生所憎誰最甚憎嫌惡也甚嫌惡者誰人也曰雍齒與我有故怨數音朔窘辱我良曰急先封

雍齒則人人自堅矣（堅心忠不反也）於是封雍齒爲什邡（音方）侯（什邡邑屬漢州）群臣皆喜曰雍齒且侯我屬無患矣（群臣皆言雍齒與高祖有仇怨。尚且封侯。我屬無雖者可不必憂矣○昔黄石公以素書授張良其中有曰小怨不捨大怨必生張良用之。所以勸高祖封雍齒矣）

鄧侯挽不留謝令推不去（令去声）

（晋）鄧攸守吳郡刑政清明後去職（後當任滿而去）百姓留牽攸船不得進攸乃少停夜中發去吳人歌曰紞（端上声）如打五鼓（紞皷声五皷五更鼓也）雞鳴天欲曙（五皷雞鳴之際天不久而明也吳人引之比鄧攸小停不久而去也）鄧侯挽不留（刑政清明雖挽不留）謝令推不去（不能清明雖推不去）

賈胡留（賈音古）

漢馬援傳（援音袁傳去声）耿舒與兄弇（音甘）書曰馬伏波類西域（亦音）賈胡（馬援從漢中興功臣為伏波將軍。類似也。賈胡人為商者耿舒之書言伏波似西之為商者相似之義詳下文域）到一處輒（音折）止以是失利（輒專也言為商者但到一處輒停晋而不行以此不得利息）

東坡詩甘作賈胡留（甘以其美而心願也甘心作西域胡之為商而留駐）

不為王門伶人

恥受人役（役使也）不為王門伶人（伶音零）

晋戴逵（音葵）字安道博學能鼓琴（博廣也）武陵王睎召之（武陵郡名。今湖廣常德府是也召請也）逵對使（音事）者打破琴曰戴

安道不能為王門伶人 伶人樂人也

桓温有此客 矜喜嘉賓桓温有此客 **晋** 謝安造桓温 造詣也 温甚喜言平生歡笑竟日 竟日終日也 既出 謝安辭去 温問左右頗嘗見我有此客否 左右在左右之人也。嘗曾也

伯樂一顧 樂音洛 辱知遇伯樂一顧之重 去声 **國策** 蘇代曰。客有謂伯樂曰 孫陽善相馬。有星名伯樂在天廐(釋註)廐音救馬坊也。天廐星傍人以孫陽識馬因號伯樂馬(註)星主掌馬之星也 臣有駿 音俊 馬欲賣之 駿馬之美稱也又連也 比三旦立于市人莫與言 馬雖好且無人問買 願子一顧之 顧者已去復回首謂之顧 請獻一朝 音招 之費 請伯樂將以費一朝之主 伯樂乃旋視之 旋繞而觀之 既去而顧之 去而復回顧 一旦而馬價十倍 人見伯樂旋視復顧其馬必好故增益其價而買之 ○ 沖明曰 驥 音記 服鹽車 音居 上 音賞 大行 音杭 ○驥一百走千里之良馬也 服駕也。大行山名八百里步行之路也 伯樂遭之 遭逢也 下 声 遐 上 車攀而泣之 泣淚出而無哭声也 驥仰而鳴見伯樂之知已

無面見江東 羞面見人曰無面見江東 **項籍傳** 去声 **漢** 追項羽欲度烏江 項籍即項羽 烏江在和州烏江縣 項羽與漢高祖同起兵滅秦 自號西楚霸王 至是漢軍追趕至烏江 獨羽一人 亭長 音掌 艤 音義 舟 艤公船 待羽 亭長 秦制十里一亭。亭有長即今巡司也 艤整舟向岸以度羽 謂羽曰江東雖小。亦

足以王去声下同。顧急度亭長言江東雖偏小亦足以王急度勿遲。羽笑曰。縱江東父兄憐而王我。我何面目見之哉。羽意我與江東子弟八千人度江而西以圖天下。今無一人還。可恥之甚。遂不度。自刎而死。○按漢書項羽有八德。不度烏江。此一德也。言其知命自裁也。

羞與噲等伍

噲音快。恥友人曰。羞與噲等伍。**史**高祖擒韓信歸洛陽。赦為淮陰侯。韓信淮陰人。佐漢高祖得天下。封楚王。人誣告其反。已而擒之。後赦之。降為淮陰侯。信羞與絳灌等列。絳絳侯周勃也。灌灌嬰也。信先為王。降為侯。襲同列。以故羞恥與常過樊噲。過言訪噲也。噲送迎稱臣。噲以信曾為王。故尊之而自稱臣也。信出門笑曰。生乃與噲等為伍。信笑含羞而言曰。我生來無過。止與噲等為等列。為伍而非有王爵之分也。

老婦舞拓拔

拓音托。日暮倒行。老婦舞拓拔。黃道累舉不第。累音呂。○累數次也。不第科舉不中也。作官數任去声。年將耳順。耳順六十歲也。孔子所謂六十而耳順。鎖庁應去声舉。或嘲則交切曰。嘲以言相調而機剌也。老婦舞拓拔。拓拔覆姓。或曰昔有拓拔氏善舞。故號拓拔舞。○此言黃道已老猶應舉。如婦人已老而效拓拔舞。剩負呈手藝。剩負在脚色外者也。老婦拓拔。剩負手藝。皆非所當為也。

嫠不恤緯

嫠音離。忘身憂國。嫠不恤緯。嫠寡婦也。**左**昭公二十四年。鄭子大叔曰。柳有言。柳語辭。有言人亦有常言。曰嫠不恤其緯。

鄭伯如晉子大叔相之見范獻子獻子言子朝乱周國如之柰何大叔對曰我國尚不能恤何暇憂周○言我國若不能恤如寡婦不憂其織之少緯也盖寡婦常若緯少也而憂宗周之隕而惟憂周室之隕滅

牽帥老夫帥音率

左襄公十年諸侯師久於偪音必陽晉荀偃請伐偪陽知伯曰。城小而固勝之不為勇不勝則為笑圍之果不克荀偃請班師班還也謂還諸侯之師知去声伯怒曰汝既勸君而興諸侯知伯為元師言汝既勸晉君而興諸侯之師牽帥老夫以至于此老夫知伯自称也言牽帥老夫至於偪陽之城下也今與汝約七日不克偪陽必取汝以謝不克之罪荀偃於是師親受矢石始滅之也

報以國士感恩念德報以國士(史)晉人豫讓嘗事范中行音杭氏嘗曾也范。范氏晉大夫家士會之後也。中行晉大夫荀氏世世將中軍故以為氏者也去而事知去声伯知伯晉大夫知瑤也本荀氏知伯尊寵之尊敬也寵愛也趙襄子滅知伯讓曰。我必為去声報讎乃變姓名入塗廁兹去声○変姓名詐為刑人入襄子宮中塗廁刑人執賤役也欲刺。音次襄子刺殺也。挾小刀欲得殺之襄子如廁心動動驚起也索音色之獲讓索求也獲得也釋之釋放也。襄子曰知伯死無後而此人欲為報讎真義士也。吾謹避之耳又漆身為癩吞炭為啞伏橋下伏藏也襄子過橋。馬驚曰必豫讓問曰子事中行氏知伯滅之不

為（去声）報讎而反臣知伯（言讓不能報讎反為知伯之臣）今何報讎

之深曰中行氏以衆人遇我（遇待也）我故以衆人報

之（以故我亦不忠）知伯國士遇我（國上國之賢士言知伯尊寵我如此也）我

故以國士報之（以故盡忠欲為報讎而殺汝也）乃請襄子衣（請襄子脫

衣）拔劍三躍擊之（擊之斫断其衣也）曰吾可以下（下音遐上声）報

知伯矣（言下於地下報於知伯言如是之報讎也）遂伏劍死（遂以其劍自刎而死）

凡夫肉眼 言不識人凡夫肉眼（摭言）（摭音只）鄭光業策

試（策試謂科之時）夜有同人突入（同人同試之人也突入急遽而入也）笑

語曰必先必先（讀）可相容否（必先其人言我中榜之名必在前或云必）

先乃是光業表字其人笑語呼之耒知孰是可相容否言能容歇宿否 鄭為（去声）輟（音拙）

半鋪地（輟止也以半木鋪陳地位以止其宿）又曰伏取一杓水（伏猶言煩

也 也）請更煎一椀茶鄭欣然取水煎茶鄭狀元及第。

其人啓謝曰。既取杓水。更煎椀茶當時不識貴人

凡夫肉眼今日俄為後進（俄頃速也）窮相（去声）骨頭

○孩孺類

口尚乳臭 漢王以韓信擊魏王豹問酈（音立）食（音意）其（音基）

魏大將（去声）誰對曰栢直漢王曰。是口尚乳臭安能

當吾韓信（魏豹先已順漢王有許負者望氣至魏謂豹曰貴氣在後宮豹出其妻薄氏許

負相之曰此天子妻也豹意我當為天子遂反於是韓信擊之擒豹以薄氏獻漢王後生文帝

黃口兒 陳後山詩 不探音湍黃口兒探取也以黃口兒之小而不取也。凡小雀口皆黃以比小兒故曰黃口兒 家語 孔子見羅雀者羅網羅也所得皆黃口小雀既得小雀孔子問何故不得大雀曰羅雀者荅大雀善驚難得。小雀探食易音意得通考家語目無所載余姑以意度之未知是否 北史拓跋魏北齊後周史崔暹音先啓崔陵竊言文宣帝為黃口小兒文宣帝東魏高歡子名洋篡位國號齊洋殂謚文宣帝

狼子野心 左 昭公二十八年晉叔向娶申公巫臣氏巫臣氏夏姬女詳見前婦人類尤物之下生伯石伯石始生之時姑往視之叔向之母往視之及

堂行至堂上聞其聲而還聞伯石啼声而還曰是豺狼之聲也言其啼声如豺狼然狼子野心譬如豺狼之子心野而不可馴非是若非此子莫喪去声羊舌氏矣莫能喪羊舌氏之族衆言其必有滅族之禍○羊舌傳昔有攘羊饋叔向母母埋之事發揜羊肉惟羊舌存因以羊舌為氏遂不視其母遂不往視

○幼敏類

岐嶷音迎 小兒聰俊曰此兒岐嶷 詩 生民篇后稷生於姜嫄音元○后稷周武王始祖也。姜嫄有邰氏之女乃后稷之母也克岐克嶷克能也。岐嶷峻茂之狀○舊註克岐知人克嶷神異○此與後第三卷慶誕類誕弥之下通看

不好弄好音號 兒不喜戲曰不好弄 左 僖公九年夷吾弱不

好弄弱十歲也弱者幼小無力也夷吾自幼弱之時不好戲弄○晉郤芮從夷吾出奔故使夷吾以重賂貨秦求入晉國郤芮謂秦穆公曰夷吾弱不好弄言其自幼為正人於是齊大夫隰朋師師會秦師共納夷吾僖公十年周公忌父王子黨會隰朋共立夷吾是為晉惠公也〔釋註〕隰音昔師音率父
音甫

寧馨兒寧去聲

（西晉）王衍總角總角人之幼時未冠初束髮總以為角嘗造山濤嘗曾也。造至也。王衍曾一日至山濤之家濤嗟嘆良久濤之所歎蓋為王衍善清談兼神青明秀風姿純雅又如瑤林瓊樹既出王衍既辭去目而送之山濤立於門前以目望衍行之遠故曰目送之曰濤云何物老嫗余去声生寧馨兒何物猶言何事嫗老母也。寧馨〔通鑑〕註猶言何堵之義蓋指物之稱者也

童烏預玄小兒知文曰童烏預玄楊子雲曰吾家童烏童烏子雲之子也九歲預吾玄文玄文子雲作大玄法言稱讚王莽功德比伊尹周公

之無兒識字曰已識之無字矣。白居易音意生纔七月能識之無二字雖試百數亦不差或曰初能識之無以其妄說而巧逢及百次試之皆言是之無始知其果能識而不妄也

高軒過李賀七歲能文李賀字長吉韓愈皇甫湜音石過之過相訪也遂作高軒過高軒過篇名也軒車云也。訪乘高車過訪也云

○耆老類

頒白 髮半黑白曰頒白（孟子）梁惠王上章謹庠音詳序之教庠序皆學名也。立學以教子弟申之以孝弟之義申。重也。丁寧反覆之意善事父母為孝善事兄長為弟頒白者不負戴於道路頒與班同背馱曰負頭頂曰戴老人頭頒白者血氣既衰勿使之負戴重物於道路也

二毛 頭白有二色曰二毛半黑半白謂之二色（左）僖公二十二年宋襄公曰君子不重去声傷君子有德之人也。襄公言君子之用兵敵人已被傷者不忍再傷之憐其死也而不擒二毛擒捉拿也。敵人之頭有頒白二色者不忍擒之憐其老也○此與後第七卷鰥煞類勍敵之下通看（釋註）勍音動

桑榆暮影 年老云桑榆暮影（淮南子）日垂西影在木端木末曰端日影在木末不久而沒如人年老不久而死（韓公孟生詩）孟生即孟郊孟郊荅韓愈別因獻張徐州詩云富別愁在顏貧別愁銷骨懶磨青銅鑑畏見斷白髮云云於是韓公贈以下文之詩云桑榆日月侵桑榆之末日月之影以相侵

鳩杖（續漢書）民年七十者授之以玉杖授。付也。玉杖長九尺扶端以鳩飾。鳩不喧之鳥。欲老人不宣也。氣力衰弱以玉杖授之助其行動也○餔補平声之以糜粥餔申時食也。以粥着。以其滑而噎於喉也（釋註）噎音葉

尚堪一行 稱老人有筋力者尚堪一行（唐）吐谷渾音魂寇邊吐谷渾胡名寇邊緣邊郡而虜掠人財也太宗曰。李靖能復為帥乎。靖曰。吾雖老尚堪一行帝喜以為行軍大總管

矍鑠

矍(音脚)鑠(音爍入聲)稱老健者曰矍鑠哉〔漢〕馬援年六十二。請擊武陵五溪蠻夷(武陵郡名也。五溪雄溪蒲溪酉溪沅溪辰溪蠻夷所居。馬援請命於光武皇帝以擊之帝憐其老)曰臣尚能披甲上(音賞)馬光武令(平声)試之援據鞍顧眄以示可用帝曰矍鑠哉是翁也(矍鑠輕健貌。是此也。言此謂如是之輕健也)

安車蒲輪

祝頌老人佇膺安車蒲輪之寵(佇久也。膺得之能守也)〔漢〕申公年八十武帝使(如字)使(音事)束帛加璧(以絹帛璧玉遣使者以為聘請之禮)安車蒲輪駕駟迎之(安車。安穩之車也。蒲輪以草裹車輪輪轉則不硬。與地不相抗。使老人居中得安。四馬車一乘曰駟。駕駟駕駟馬以迎之也)

洛中耆英

元豐五年(元豐宋神宗年號)文潞公以太尉留守西都時(文潞公名彥博為洛國公漢以太尉為三公留守唐置車駕不在京師則置留守)韓富公以司徒致仕(致仕為官者年七十不理政事而就閑也)潞公慕唐白樂(音洛)天九老會(白樂天又名居易作九老會潞公慕之。亦效其作也。香山九老皆年高不仕者。人慕之繪為九老圖。胡杲年八十九。吉皎八十八。張渾七十七。劉真八十七。鄭據八十五。盧真八十三。白居易七十四。狄兼謨盧真二人未及七十雖與會而不及列)乃集洛中公卿年德高者為耆英會(洛中即西都也)就資聖院建大廈(遐上声)曰耆英堂(建立也。厦今之門廡也。扁牌額於其上謂之耆英堂)命閩(音名)人鄭奐(音換)繪像堂中(閩福建也繪采畫也)共一十三

命閣入顛兵繪堂中……共一十三
建大廈上曰耆英堂……
洛中公卿年德高者為耆英會……賢聖從
唐白樂天九老會……乃集
韓富公以司徒致仕……文潞公以太尉留守
西京……元豐五年……

洛中耆英

安車蒲輪

（漢）申公年八十，武帝使使束帛加璧，安車蒲輪……
視……入行……安車蒲輪之……
……
武帝……請……
……言
故……可用，帝曰矍鑠……
（漢）馬援年六十二，請擊五溪……

矍鑠

人文彥博潞國公年七十七。富弼韓國公七十九席汝言七十七。王尚恭七十六。趙南正七十五。
劉几七十五、馬行己七十五、楚建中七十二。王慎言七十二。張問七十。張燾七十。王拱辰七十。司馬
光溫國公年六十四。時獨溫公年未七十。路公素重其人。用唐九老狄兼謨故事請溫公入會

絳縣老人

左襄公三十二年絳縣老人曰。臣生四百四十五
甲子矣晉悼大夫以飲食享於衆人，絳縣老人無名年老悼大夫問其年幾何老人答曰臣
小人也，不知紀年。臣生之歲正月甲子朔自始生至今經歷若干甲子日矣師曠曰。七
十三年每一甲子該六十日師曠合之得七十三年史趙曰。亥孩上声有
二首六身古園字二畫在上。三人在下。故以二為首以六為身下避上声二如
身故下亥字二畫竪直身旁當為身字是其日數也此是老人始生至今之日數也。

蓋以二首為二万六身為六千六百六十日也七文伯曰。然則二萬六千
六百有六旬矣

龍鍾

談録裴晉公未第時未為相之時羈旅洛中羈旅客寓也
策驢上音賞天津橋策以鞭打也時淮西不庭已數年不庭
不朝貢天子之庭也有二老人倚柱柱橋亭柱也語曰。蔡州何時
得平蔡州即淮西也言淮西何時得平伏見晉公愕然曰。適憂蔡州
夫平須待此人為相去声僕聞告公僕行在後所以得聞二人之說
公曰見我龍鍾故相戲耳龍鍾蘇林演義不昌熾不翹首髮鬒鬖縣梴擒
之顙。後晉公憲宗時果為相

倒

潦音老〔杜牧之示姪〕我若自潦倒看汝爭翱音敖翔音詳○翱翔飛騰高舉也欲婬遨出人表顯貴也〔湘素雜記〕宋黃朝英著古語有二聲合為一字者。如不可為〔叵〕婆上声○以不可二字為叵何不為〔盍〕以何不二字為盍從西域二合之音切字之元也。龍鐘潦倒。正如二合之音。龍鐘切癃音隆字龍鐘為字母龍靈運癃如此切之潦倒切老字潦倒為字母。潦靈連老切之也老羸音閣癃疾即以龍鐘潦倒目之者正此義也委曲而言龍鐘潦倒即知是老羸癃疾而不直言也

〇壽考類

老子圖

賀壽曰。敢以老子出關圖為獻〔錢穆父〕音甫尹天府錢穆父為開封府尹。宋都開封。故稱天府。生日錢穆生辰之日楊次公畫老子出關圖老子太上老君也作詩以獻曰。秘藏函谷關中子昔老子度函谷關故有此句來獻蓬萊閣上仙〔郊祀志云蓬萊山在渤海中金銀為觀闕○言老子乃蓬萊山上仙人也〕頓得鬚眉如此老却教音交龜鶴羨長年祝頌亦如龜鶴有長生之壽

春秋高矣

問人年曰。春秋幾何〔新序〕漢劉向著楚丘先生行年七十披裘帶索音削○腰繫繩索以為帶見孟嘗君孟嘗君姓田名文為齊相食客三千人君曰先生老矣春秋高矣多遺忘

矣何以教之楚丘曰噫噫歎息也將使我追車而赴馬追車赴馬馳逐奔走也乎投石而超距乎投石擧石擲之也超距猶言跳躍(左傳)距跳躍言距地向前跳過物也逐麋音迷鹿而搏虎豹乎麋鹿屬搏手擊也言趕逐麋鹿手擊虎豹吾已死矣何暇老矣言使我為前數作勇力之事則至於死何暇言老矣將使我出正詞而當諸侯乎當對也出正法之言以對諸侯決嫌疑而定猶豫乎嫌者無分別疑者相似也而能決之猶豫師古曰猶獸名似麂善登木性疑慮居山中聞有声即恐有人来每豫上樹久之無人然後下須臾又上如此非一故不決者稱猶豫楚丘言似此不決之事而能定之吾始壯矣何老之有

龎眉皓髮龎音茫皓音好

賀壽用龎眉皓髮(顏駟)漢文帝時為郎郎即官也至武帝輦過郎署郎署麻林日上林中直備之舍見駟龎眉皓髮龎厚大也皓白也上問曰叟何時為郎叟長老之稱何其老也答曰臣文帝時為郎文帝好音號下同文而臣好武句景帝好美而臣貌醜句陛下好少音紹而臣已老句是以三世不遇三世文帝景帝武帝上擢會音繪稽音基都尉擢拔舉也

上壽中壽

莊子盜跖篇人上壽百歲中壽八十下壽六十除病瘦死喪憂患其中開口而笑者一月之中

不過三四日而已每月之間得意歡笑無過三四日其餘皆被病瘦死喪憂患數事之可撓○此與第四卷送行類行色之下通看

余髮種種

音中上声老人自稱曰余髮已種種（左）昭公二年盧蒲鬖音匹曰盧蒲鬖慶封之党余髮如此種種（矣）齊伐慶氏逐鬖於齊之境鬖言我髮種種然短矣余奚能為言已年老不能為害子雅不可子雅言其齊公孫竈也可不放鬖帰不曰彼其髮短子雅言鬖雖老而心甚長言其心未已志在害我也

書言故事卷之二終

不過三四日而已[illegible]

[illegible]

余髮種種[illegible]老人自稱曰余髮已種種（左）[illegible]

[illegible]曰[illegible]余髮如此種種（左）[illegible]

[illegible]余奚能為[illegible]

[illegible]曰彼其髮短而心甚長[illegible]

書言故事卷之二終